Le 13

© Édition Milan, 1999
pour le texte et l'illustration
ISBN : 2-84113-913-1

Gérard Moncomble

Le 13

MILAN POCHE

À M. Caron, prince du castelet,
ami des marionnettes
en mon royaume d'enfance.

1

Il ne se passe pas grand-chose à Cabosse-Plage. Surtout l'hiver. Il y a l'Océan et ses vagues, c'est tout. Papa dit que ça suffit largement à faire le bonheur d'un homme. Moi, je veux bien. Sauf que je ne suis pas un homme, enfin pas encore : j'aurai douze ans dans trois mois. Et l'Océan, je le préfère l'été, quand il est vert ou bleu, quand je peux cabrioler, plonger, rouler au milieu des vagues.

Ce jour-là, il était gris, l'Océan. Gris comme le ciel, comme Cabosse-Plage. Le mois de février avait l'air d'avoir signé un contrat avec la pluie battante. Trois jours qu'il pleuvait plus dru que dru. Mes trois premiers jours de vacances ! Bonjour le blues ! Et un Quentin Lampion (c'est mon nom) qui s'ennuie, ça peut exploser à tout moment !

Du coup, lorsqu'une grosse camionnette rouge a déboulé sur la place du village, avec un haut-parleur qui crachait de la zizique à fond les manettes, j'ai galopé comme un zèbre pour voir de quoi ça parlait.

Quelquefois, en été, à cause des vacanciers, un cirque débarque, ou un zoo miniature. D'accord, on était en hiver. C'est interdit de rêver ?

Sur le flanc de la camionnette, une inscription en lettres jaunes disait : *Le Castelet* vivant du *signor Boldoni*. Des marionnettes ! Je fis la grimace. J'aurais préféré quelque chose de plus excitant que des pantins à ficelles. Guignol et compagnie, ce n'est plus de mon âge !

---

* Théâtre de marionnettes.

8

Je suis quand même resté, sous mon para-pluie, pour regarder la suite des événements. J'avais du temps à perdre.

La musique s'arrêta et fit place à une voix tonitruante (sûrement celle du signor Boldoni) qui résonna sur la place comme un gronde-ment d'orage. Impressionnant. Elle disait que ce soirrrr à 18 heurrrres, le signorrrr Boldoni nous invitait tous à une grrrrande rrrreprrré-sentation unique de son Castelet vivant.

Le message fut répété plusieurs fois, ponctué par des roulements de tambour du plus bel effet. Le signor Boldoni faisait les choses comme il fallait. Quand le haut-parleur se tut, il y avait pas mal de monde sur la place, malgré la pluie. L'homme sortit alors de sa camion-nette et se mit à haranguer les gens, qui firent cercle autour de lui. Il gesticulait beaucoup, parlait très fort. Quel baratineur, ce signor Boldoni ! Il vendait des tickets à la pelle. Ce gars-là aurait probablement convaincu un régime de bananes d'aller se faire flamber au rhum !

Curieux, je m'approchai, à moitié caché par la toile du parapluie. Histoire d'écouter son boniment.

– Tu veux un billet, jeune homme ?

Zut ! Il m'avait repéré. Trop tard pour faire machine arrière. Tout en restant à l'abri sous mon pépin, je bafouillai un vague :

– Les marionnettes, c'est pour les bébés, m'sieur !

L'homme éclata d'un rire grinçant.

– Pas les miennes, mon garçon, pas les miennes…

Il écarta d'une main vive le parapluie, si soudainement que j'eus un geste de recul. Puis il me dévisagea d'une étrange façon. Sous les sourcils noirs qui broussaillaient ferme, ses yeux n'étaient plus que deux fentes sombres, sans un éclat, comme si ses pupilles s'étaient brusquement dilatées. Un regard qui semblait fouiller le mien. Des frissons me coururent le long du dos et je fis un mouvement pour partir.

— Tu as un nom ?

Cette question ! Je haussai les épaules, agacé. Tellement mal à l'aise, aussi.

— Je m'appelle Quentin.

Il me tendit un billet et remonta dans la camionnette.

— Pour toi, ce sera gratuit, Quentin !

J'ouvris la bouche pour répondre que je ne viendrais pas… qu'il s'était fatigué pour rien… et que… mais le signor Boldoni avait déjà démarré et la camionnette rouge disparut derrière l'église.

Je jetai un œil sur le billet. Rouge aussi. Il y avait juste un numéro. Le 13.

2

Les réverbères qui ponctuent régulièrement l'avenue de la Plage jusqu'à l'Océan venaient tout juste de s'allumer. J'aime ce moment où le jour bascule vers la nuit. Comme souvent, je m'étais posté derrière la fenêtre pour goûter le spectacle. La pluie tombait toujours. J'étais bien. C'est alors que Maman dit :

— Si tu n'as rien de mieux à faire, lapin, file ranger ta chambre.

Ranger ma chambre ! Pourquoi faut-il donc que les parents gâchent tout avec leurs fichues histoires de rangement ? Comme si une chambre avait besoin d'ordre !

C'est ça qui m'a décidé. Les marionnettes ne m'emballaient pas plus que ça, mais c'était la seule façon d'échapper à la corvée.

– Peux pas, M'man… Y a un spectacle de Guignol, au casino, dans cinq minutes. Et j'ai un billet gratis !

– Des marionnettes, Quentin ?

Maman regarda Papa d'un air étonné, et ils hochèrent la tête tous les deux en riant. J'avais gagné le droit de laisser ma chambre dans son état lamentable.

– Tu rentres tout de suite après, hein, lapin ?

– Promis, M'man.

(J'ai horreur qu'elle m'appelle lapin. Pourquoi pas castor ou écureuil tant qu'elle y est ? Quand je lui fais la remarque, elle ricane en disant que, pour elle, je serai toujours son lapin. Les mères, c'est drôlement lourd à traîner, je trouve.)

N'empêche qu'un instant plus tard j'étais assis sur un banc, entre deux jumelles et une mamie, devant le castelet du signor Boldoni.

Le bonhomme avait installé son matériel dans la grande salle du casino, un vieux bâtiment désaffecté qui servait à tout et n'importe quoi. On y faisait même des tournois de ping-pong, l'été. Ça faisait belle lurette qu'il n'y avait plus de roulette ni de machines à sous.

Finalement, je n'étais pas si mal au milieu de ce parterre de bambins. Il n'y avait pas si long-temps que j'avais échangé mes peluches contre les jeux vidéo, les game boys et tout le bazar.

Le signor Boldoni surgit devant son castelet, réclama le silence et présenta son spectacle, « le plus extrrrraorrrdinairrre de tous les temps », bien entendu. Quand son regard croisa le mien, il s'interrompit une seconde, eut un sourire bizarre, puis reprit le fil de son discours. Une fois de plus, son regard me fit frissonner la moelle des os.

Il frappa dans ses mains, et une musique grinçante se mit à jouer en sourdine. Puis la lumière de la salle baissa d'intensité et le rideau du castelet s'ouvrit. Boldoni avait disparu.

À l'apparition de la première marionnette, en bois peint, un murmure admiratif monta du public. En face de nous, dans le cadre du castelet, le pantin se déplaçait sans la moindre ficelle ! C'était déjà incroyable, mais il y avait mieux encore : lorsqu'il tournait la tête vers les gens, il semblait réellement nous regarder. Ses grands yeux peints avaient la profondeur et la mobilité d'une vraie paire d'yeux. C'était hallucinant. D'ailleurs, les enfants, d'habitude si bruyants à ce genre de spectacle, étaient muets. Hypnotisés par la marionnette qui tournoyait sur elle-même, lentement, avec une grâce infinie. Rien à voir avec les gestes toujours raides, saccadés, des pantins ordinaires. J'étais estomaqué.

•

D'autres marionnettes vinrent rejoindre la première et le ballet continua, sur la petite musique aigrelette. Un ballet étrange, fantomatique. Des spectres surgis des ténèbres et qui allaient y retourner. Le plus extraordinaire était à venir : à la fin du spectacle, l'une des marionnettes sauta du castelet et s'avança vers le public. La musique avait cessé et le silence était lourd, oppressant. Le pantin se déplaçait sans bruit. Il dévisagea chaque spectateur l'un après l'autre. Tout le monde se taisait, époustouflé. Cette marionnette de bois avait des gestes tellement humains, tellement réels. Elle caressait parfois les cheveux d'un enfant, tapotait une joue, touchait une main. Incroyable.

•

Quand elle passa devant moi, elle ralentit nettement, et j'eus l'impression qu'elle voulait me parler. L'impression aussi que ses pupilles se dilataient. Son regard me sembla d'une profonde tristesse.

Mais qu'est-ce qu'une marionnette pouvait savoir de la tristesse ?

D'ailleurs le signor Boldoni mit fin au spectacle en venant chercher le pantin et en saluant le public avec lui. Les gens, debout, applaudirent à tout rompre.

N'empêche. Un peu plus tard, je quittai le casino avec un immense sentiment de malaise. Je n'étais pas le seul. Autour de moi, les gens partaient sans un mot, la tête basse. Et jamais je n'avais vu des enfants aussi silencieux après un spectacle de marionnettes.

Le signor Boldoni avait décidément de bien curieux pensionnaires dans son castelet. En tout cas, ce type était un génie. Il avait fabriqué des pantins fabuleux. Utilisait-il un système de téléguidage ou les créatures étaient-elles de parfaits automates ? « Le Castelet vivant » gardait son mystère. Et il était de taille.

3

Le soir, pendant le repas, Maman trouva que j'avais l'air préoccupé et Papa me demanda en ricanant si je n'étais pas tombé amoureux. N'importe quoi ! Comme si j'allais leur raconter mes petites histoires ! Et ce qui me trottait dans la tête, ce n'était pas une fille, mais une marionnette.

Je me couchai avec l'image de ces yeux peints qui s'étaient posés si longtemps sur moi. Peu à peu, dans l'ombre de ma chambre, je les vis se matérialiser. D'abord sur la tapisserie, puis au-dessus de mon bureau, ou à côté de mon punching-ball. Ils étaient énormes et voletaient d'un endroit à l'autre, comme des papillons monstrueux. Et ils me regardaient.

Une forme vaguement humaine les enveloppa tout à coup et j'eus devant moi une marionnette gigantesque, dont la tête se mit à tourner à toute vitesse en émettant un son inouï. Entre le hurlement d'un loup et le grincement d'une porte. Horrible ! Je me fourrai sous mes draps, les mains sur les oreilles, le cœur à cent à l'heure. Et quelqu'un attrapait mes pieds ! Quelqu'un me tirait furieusement en riant, d'un rire atroce, épouvantable ! Je hurlais ! Je me débattais de toutes mes forces ! Je martelais le matelas de coups de poings ! Je m'accrochais désespérément aux barreaux de mon lit !

– Viens, Quentin, viens…

C'était la voix de… J'ouvris les yeux, malgré ma panique. Le signor Boldoni était devant moi, à côté de la marionnette, dont la tête continuait à tourner. Il riait de plus en plus fort et ce rire résonnait dans la chambre, rebondissait sur les murs, sur les parois de mon crâne. Ses mains géantes agrippaient mes chevilles, les tordaient dans tous les sens. Je sentis que je lâchais les barreaux, et ma tête heurta le sol.

•

Je me dressai sur mon lit, la poitrine haletante. Un cauchemar. C'était un fichu cauchemar ! J'en aurais embrassé mon polochon ! Le signor Boldoni venait de me jouer un sale tour, mais je m'en étais débarrassé rien qu'en ouvrant les yeux. Exactement comme dans mes jeux vidéo lorsque, par une simple pression sur la manette de commande, j'atomisais le méchant.

Je me levai pour ouvrir la fenêtre, histoire de me calmer un brin en respirant l'air frais de la nuit. Avec la sensation d'entendre encore l'épouvantable rire du signor Boldoni dans mes oreilles.

De ma fenêtre, j'ai une vue imprenable sur le casino. À cette heure-ci, le bâtiment était éteint. Seul le halo d'un réverbère proche éclairait les murs blanchâtres d'une lumière légèrement bleutée.

C'est alors que je l'aperçus. Une silhouette plutôt minuscule, vue d'ici, mais qui se découpait parfaitement sur la façade claire du casino. Sa démarche, souple, huilée, me fit irrésistiblement songer à celle des marionnettes du signor Boldoni. C'était une idée grotesque, naturellement. Mais le sommeil m'avait définitivement quitté et j'avais envie d'une petite promenade nocturne. Il suffisait de sauter de ma fenêtre sur la terrasse, de dégringoler l'escalier du perron et le tour était joué.

J'en avais pour cinq minutes, à tout casser. Une petite vérification de routine. L'ombre entrevue devait être celle d'un gosse. Ou celle d'un nain. Ou alors j'avais rêvé. Je rêvais beaucoup, ces temps-ci…

J'enfilai un ciré jaune fluo par-dessus mon pyjama, chaussai mes bottes rouges en caoutchouc et enjambai le rebord de la fenêtre. L'accoutrement n'était pas idéal pour une filature discrète mais c'était tout ce que j'avais sous la main.

L'ombre avait disparu derrière le casino, à la hauteur d'un petit kiosque à musique. Je galopai à toute allure dans la même direction, tous les sens en alerte. La pluie avait cessé et les bruits de la nuit commençaient à prendre un écho particulier.

C'est ainsi que j'entendis quelqu'un pleurer. Des sanglots brefs, entrecoupés de petits grognements plaintifs. Je m'approchai doucement. Au centre du kiosque, il y avait une marionnette, la tête dans les mains, le dos agité de soubresauts. Une des marionnettes du signor Boldoni.

4

D'abord, je n'y ai pas cru. Mon cauchemar continuait, voilà tout. J'allais me réveiller, me frotter les yeux, soupirer d'aise. Mais cette fois, l'image persistait. Je marchai vers le centre du kiosque. Au bruit que firent mes bottes, la marionnette se releva brusquement et bondit dans la rue. Sans réfléchir, je me mis à courir derrière elle.

Sa vitesse était stupéfiante. Et toujours cette impression de grâce, de légèreté. Je cavalais pourtant comme un dératé mais elle prit cinq, dix, quinze mètres d'avance. Encore quelques secondes et elle disparaîtrait dans le brouillard qui commençait à s'épaissir au fur et à mesure qu'on avançait vers l'Océan. Pas de ça, Lisette. Il fallait que je la rattrape avant.

Je connaissais le secteur comme ma poche. Mieux même. Je bifurquai sur la gauche dans la rue Princesse et remontai vers la mairie. Un portail à sauter, la cour du bâtiment, une petite porte, et j'allais tomber directement sur le parking de la plage. En principe, je devais être là avant elle.

Bien joué, Quentin. À l'arrivée, j'avais dix mètres d'avance sur la marionnette. Je la vis débouler au bout du parking, toujours bondissant sur ses jambes de bois. Droit sur moi.

Je la reconnus à ce moment-là. Des yeux pareils, je ne pouvais pas les oublier. C'étaient ceux de la marionnette qui s'était arrêtée devant moi à la fin du spectacle. Celle qui semblait avoir tant de choses à dire.

Je me planquai derrière un panneau d'affichage et attendis qu'elle vînt à ma hauteur. Sans bien savoir ce que j'allais faire. Peut-être tenter de l'aider, tout simplement.

Il se passait quelque chose, là-bas. La marionnette s'était arrêtée, regardait derrière elle. Je vis de vagues ombres émerger du brouillard. Bientôt elles prirent forme. Des marionnettes ! Une dizaine de marionnettes qui couraient en gesticulant, avec de petits cris rauques. Au milieu d'elles, un grand sac à la main, le signor Boldoni ! Comme dans mon rêve, il semblait immense, mais c'étaient sans doute les effets du brouillard et de la nuit.

La marionnette au regard triste se remit à courir. Lorsqu'elle passa devant moi, je me recroquevillai derrière mon panneau. Incapable de réagir. Complètement dépassé par les événements. Terrorisé par l'apparition du signor Boldoni et sa meute hallucinante de pantins. Ils bondissaient sur leurs frêles jambes de bois peint, semblant à peine frôler le sol, entourant l'homme comme une nuée de mouches. Ils avaient tous le regard fixe, exorbité. C'était une vision terrible.

Après le passage du signor Boldoni et de ses créatures, je grimpai sur le socle d'une statue, plantée près de la mairie. Je dominais largement la scène, même si le brouillard mangeait presque tout à présent.

La chasse continua quelques secondes encore. La fugitive avait dégringolé l'escalier qui mène à la plage, ses poursuivants aussi. L'épaisseur du brouillard m'empêcha de voir la capture. Mais quand le signor Boldoni réapparut, il tenait le sac sur son épaule et son sourire satisfait en disait long. À ses côtés, les marionnettes paraissaient glisser sans secousse, comme si elles patinaient sur un lac gelé. Puis le brouillard et la nuit avalèrent le groupe et tout s'évanouit.

Moi, j'étais abasourdi, le crâne vide, à me demander si ce n'était pas le pot-au-feu de Maman qui provoquait ainsi des hallucinations. Et franchement, je n'avais pas la réponse.

J'ai mal dormi cette nuit-là. À vrai dire, je n'ai même pas dormi du tout. Trop peur de cauchemarder ou de me réveiller avec le signor Boldoni au pied de mon lit. Vers cinq heures du matin, las de me tourner dans mon lit, je pris une décision : celle d'aller voir de plus près « Le Castelet vivant ». Peut-être me rendrais-je alors compte que mes étranges visions n'avaient été que du vent.

Cinq heures. Papa faisait habituellement sonner son réveil vers sept heures et Maman avait un sommeil de plomb. Ça me laissait deux bonnes heures, largement de quoi éclaircir cette histoire. Pas question de laisser le signor Boldoni hanter mes nuits.

Cette fois, je m'habillai de pied en cap. J'enfilai même un passe-montagne qui me masquait parfaitement le visage. Travailler incognito est la première règle de l'enquêteur sérieux. Je sautai par la fenêtre et filai vers le casino. Les marionnettes devaient encore y être puisque le directeur du « Castelet vivant », à la fin de la première représentation, avait annoncé un second spectacle pour le lendemain soir.

Je savais comment rentrer. C'était archi-simple : il suffisait de contourner le bâtiment et de se hisser jusqu'à un petit vasistas, toujours ouvert, qui donnait sur un vestiaire. Ce que je fis en deux temps trois mouvements.

•

À l'intérieur, le silence était total. Je poussai doucement la porte et pénétrai dans la grande salle. Il n'y avait rien d'anormal, à première vue. Le castelet était toujours planté au même endroit, les bancs et les chaises n'avaient pas bougé. Peut-être flottait-il un étrange parfum dans l'air, quelque chose qui ressemblait vague-ment à de l'éther. Rien d'inquiétant. Pourquoi avais-je le cœur qui cognait si fort ?

Je m'approchai du castelet, la poitrine marte-lée par des « bom bom bom » qui me parurent faire un bruit d'enfer. Le long du mur, il y avait une dizaine de caisses en bois grossier. Chacune fermée par un gros loquet de fer. J'en fis glisser un, qui couina si épouvantablement que je crus avoir réveillé le village tout entier. Pendant un moment, les tempes bourdonnantes, je restai immobile, le geste en suspens. Rien ne se passa.

Alors, lentement, très lentement, j'ouvris le couvercle de la caisse. Prêt à tout.

Je ne m'étais pas trompé. Il y avait une marionnette à l'intérieur. Elle ressemblait à n'importe quelle marionnette rangée dans une caisse après un spectacle. Aussi immobile qu'une pierre. J'étais presque déçu. Elle était repliée sur elle-même, comme si elle dormait en chien de fusil.

Dormait… Le mot me fit tiquer. Dans le silence, il me sembla tout à coup entendre le souffle d'une respiration. Était-ce encore une illusion d'optique ou sa poitrine bougeait-elle vraiment ? Et ses paupières ! Ses paupières étaient fermées !

Pris d'une panique effrénée, je laissai tomber le couvercle. Ce bruit ! Effroyable ! Une vraie détonation !

– Hein ? Qu'est-ce que c'est ?

Boldoni ! C'était la voix du signor Boldoni qui résonnait à quelques mètres de moi. Il devait dormir ici, à côté de ses créatures ! Je rampai à toute allure vers la porte du vestiaire, mais le rayon lumineux d'une torche balaya le mur juste au-dessus de moi et je dus me glisser sous le rideau du castelet avant qu'il ne se pose sur moi.

Le signor Boldoni s'était levé. J'entendis son pas lourd faire trembler le parquet. Lorsqu'il passa près de moi, je fermai les yeux, serrai les dents, les fesses. Une terreur sans nom m'oppressait la gorge. Sans que je sache une fois encore si j'étais dans un de mes cauchemars ou si tout cela était vrai.

•

Boldoni poussa un juron. Il y eut un grincement de ferraille, que j'identifiai comme celui du loquet de la caisse, que je n'avais pas pu refermer à temps. Maintenant, l'homme devait savoir qu'on s'était introduit ici, qu'on avait ouvert une des caisses. Il allait fouiller la salle. Méthodiquement, mètre après mètre. Et me découvrir, forcément. *Forcément.*

Il arrivait. Dans une seconde, il tirerait le rideau, m'éblouirait avec sa torche. J'imaginais déjà ses grosses mains m'agripper et me soulever comme un fétu de paille.

Alors je bondis de ma cachette en hurlant. Je le percutai de plein fouet, et il lâcha sa torche. Je sentis une de ses mains me frôler, mais je réussis à lui échapper. Dans l'obscurité, ma petite taille me donnait l'avantage. Bientôt, j'étais dans les vestiaires, en train de me hisser jusqu'au vasistas.

Dehors il pleuvait des cordes. Des hallebardes même. Mais je m'en fichais bien. Je courais, je courais…

5

J'ai dormi au moins jusqu'à midi. Malgré les visites répétées de Papa dans ma chambre, parce qu'il voulait m'emmener pêcher sur la plage. Non merci. Il irait sans moi. J'avais d'autres chats à fouetter. D'abord récupérer un peu de ma nuit cauchemardesque, puis revenir sur les lieux du crime. Je veux dire au casino, pour la seconde séance du signor Boldoni. Au milieu d'une foule de spectateurs, je ne risquais absolument rien. D'ailleurs m'avait-il reconnu, hier soir ? À aucun moment il ne m'avait braqué sa torche sur le visage. La nuit, tous les Quentin sont gris, non ? Surtout avec un passe-montagne.

Je passai la journée dans ma chambre, à repasser le film des événements de la veille. À essayer de démêler le vrai du faux, la réalité de l'illusion. Avec pour seul résultat un violent mal de crâne, du genre de ceux qui m'arrivent quand je sèche sur un exo de maths.

Je regardais aussi par moments le vieux pantin de bois que Mémé m'avait offert il y a des années, en me demandant s'il n'allait pas lui aussi danser sur ma commode. Mais non. Il ne bougeait pas d'un pouce. Ma chambre ne semblait pas souffrir du voisinage du signor Boldoni et de son « Castelet vivant ».

•

À six heures moins le quart, je filai vers le casino. Il y avait deux fois plus de monde que la veille. Le bouche à oreille avait parfaitement fonctionné. Normal : le spectacle en valait la peine.

Le signor Boldoni tenait la caisse, comme la veille. Cette fois, je payai mon billet. En passant devant lui, je baissai la tête pour ne pas croiser son regard. Il me sembla l'entendre ricaner. Tandis que je partais vers la salle, il me lança, à mi-voix :

– Je crois que le spectacle va te plaire aujourd'hui, Quentin.

Le ton était léger, ironique. Néanmoins ça résonnait comme une menace. J'aurais dû faire demi-tour. Mais les Quentin Lampion sont curieux. J'étais déjà assis au fond de la salle, près du mur. Caché derrière un pilier, quand même.

Je jetai un coup d'œil sur mon billet. Ma gorge se serra tout à coup. C'était toujours le même numéro. *Le 13.*

Le signor Boldoni arriva et présenta son « Castelet vivant », à grand renfort de mots ronflants, de grands gestes et d'éclats de rire. Il avait l'air tellement sympathique, le montreur de marionnettes. Aucun rapport avec le terrible chasseur de cette nuit. Ou alors il avait un double quelque part.

Le spectacle démarra comme le précédent, par la petite musique aigrelette, sur laquelle se mit à danser une marionnette, bientôt suivie de quelques autres. J'avais beau les avoir déjà vues, elles étaient toujours aussi envoûtantes. Surtout avec ce que je savais d'elles. En les regardant évoluer dans le castelet, je ne pouvais pas m'empêcher de songer à la scène d'hier soir. Ces pantins-là, si aériens, si gracieux, étaient capables de danser, oui, mais aussi de traquer sauvagement l'un d'entre eux. Dans les ballets qui suivirent, je cherchai en vain la marion-nette au regard triste. Aucune trace d'elle.

•

Le public était sous le charme. À présent, il y avait onze marionnettes au pied du castelet. Elles étaient descendues l'une après l'autre, à chaque fois sous les applaudissements et les cris des enfants. Un triomphe.

– Comment qu'y fait ? Mais comment qu'y fait donc ? marmonnait un vieux pépé devant moi.

Je l'ignorais moi aussi. Pour l'instant. Mais le système Boldoni fonctionnait à merveille. Les marionnettes, avec leurs gestes huilés, si lestes, semblaient plus vivantes que jamais. Leurs yeux surtout. Des yeux dont les paupières ne clignaient pas, et qui donnaient l'impression de transpercer les murs. De voir l'invisible. Onze paires d'yeux braqués sur nous, et qui cherchaient quelque chose. Le signor Boldoni s'encadra soudain dans la fenêtre du castelet et annonça, le sourire complice :

– Vous allez assister à un petit tour de magie, messieurs dames. Quelqu'un dans le public va nous aider.

Les marionnettes s'avancèrent parmi les gens, posant sur chaque spectateur, enfant ou adulte, leur incroyable regard. Comme la veille, les gens étaient silencieux, envoûtés. Ce qu'ils voyaient dépassait totalement leur imagination. Moi, je me recroquevillais de plus en plus derrière le pilier au fur et à mesure que les créatures de bois approchaient du fond de la salle. Si j'avais pu me faufiler sous une chaise ou dans un trou du plancher ! Car je n'avais aucun doute : c'était moi qu'elles cherchaient. Pourquoi n'avais-je pas enfilé mon passe-montagne ?

L'une des marionnettes eut une sorte de tressaillement en me voyant. J'étais repéré. L'instant suivant, les pantins m'entourèrent et, dans un joyeux tumulte, je fus tiré, poussé, entraîné vers le castelet. En douceur bien sûr. Dans la salle, les enfants battaient des mains, les adultes souriaient avec ravissement. Tout cela ressemblait à un jeu innocent. Les gens m'encourageaient :

– Va, Quentin, va ! T'en as de la chance !

Rassuré, je me laissai emporter par le mouvement. Après tout, il n'y avait rien à craindre devant un public pareil. Si Boldoni et ses créatures me voulaient du mal, ce n'était pas ici qu'ils allaient opérer !

Naturellement j'avais tort.

À la seconde même où je parvins près du castelet, une fumée opaque m'enveloppa, vingt bras me happèrent et je sentis une main énorme me fermer la bouche. On me colla un épouvantable chiffon puant sous le nez et je sentis mon cerveau s'évaporer. La dernière chose que j'entendis avant de tomber dans les pommes, ce fut une grosse voix qui disait :

– Dors, Quentin, dors… Le signor Boldoni va veiller sur toi…

6

Où étais-je ? Je n'avais que des perceptions très floues. Des chocs incessants, un méchant roulis qui me baladait à droite et à gauche, ou un ron-ronnement, parfois léger, parfois rauque et fort. Mon crâne baignait dans un brouillard liquide et j'avais les idées en marmelade.

Je mis un long moment avant de comprendre que j'étais allongé sur le plancher d'une camionnette, pieds et poignets liés, coincé entre deux caisses contre lesquelles je me cognais sans cesse. Puis un autre, tout aussi long, pour me rappeler qui j'étais et ce qui m'arrivait. Des images affluèrent devant mes yeux : le signor

Boldoni et ses énormes mains. La troupe de marionnettes qui me coinçait contre le castelet. La fumée, le chiffon imbibé d'éther…

Boldoni m'avait kidnappé !

Je fus pris d'un tremblement terrible. Mes parents allaient être fous d'angoisse. J'imaginais déjà ma mère en train de courir dans les rues en criant mon nom, d'appeler les pompiers, police-secours et tout le tremblement. Au moindre retard, en général, elle est paniquée, alors, un kidnapping !

Pourquoi le signor Boldoni m'avait-il donc enlevé ? Quel danger pouvais-je représenter pour lui ? Voulait-il me faire taire ? Étais-je vraiment un témoin gênant, moi qui confondais si souvent le rêve et la réalité ? « Enfant perpétuellement dans la lune », commentait régulièrement M. Debonnet, mon prof de français, sur mon carnet de liaison.

Je n'avais naturellement pas de réponse à toutes ces questions. Et la frousse monumentale qui me tenaillait empêchait toute réflexion. J'étais condamné à attendre la suite des événements.

La camionnette se mit à brinquebaler sérieusement. Pendant un instant, je roulai sur le plancher dans tous les sens. Puis le rugissement du moteur décrut, et le véhicule s'immobilisa. Le silence soudain fut presque plus effrayant que ce qui avait précédé. Je restai ainsi quelques secondes interminables, une énorme boule dans la gorge, les yeux fixés sur la porte. J'entendais des voix à l'extérieur. Celle de Boldoni, qui grondait comme un ciel d'orage, et une autre, frêle, hésitante. La porte s'ouvrit et la silhouette massive du montreur de marionnettes s'encadra dans l'ouverture. Nous nous dévisageâmes un moment, sans un mot. Il me souriait, mais ses yeux démentaient son sourire. Toujours ces deux terribles fentes noires.

– Tu as réussi à t'enfuir l'autre nuit, Quentin. Mais on n'échappe pas au signor Boldoni. Jamais !

Il m'agrippa les pieds (comme dans mon rêve, l'autre nuit) et, d'un geste vif, couvrit ma tête d'un sac, avant de me balancer sur son épaule, enserrant mes jambes avec son bras comme un étau. Il ouvrit une porte, ses pas résonnèrent sur un plancher. Au balancement régulier, tout à coup, je compris qu'il descendait un escalier. Un long grincement, quelques mètres encore, et Boldoni me posa sans ménagement sur le sol. Un sol froid et humide.

J'aurais voulu hurler, lui demander ce qu'il me voulait à la fin, mais j'étais sans réaction. Corps et cerveau engourdis. Incapable d'émettre le son. Peut-être Boldoni m'avait-il drogué…

De nouveau le grincement de la porte, et le bruit des pas qui s'évanouissait peu à peu. Le silence s'installa. J'étais seul, dans un endroit totalement inconnu, avec un sac sur la tête. De quoi perdre les pédales.

Quelque chose remua sur ma gauche. Mon cœur tambourina très fort, je sentis une sueur glacée suinter sur mon front, à la racine des cheveux. Des rats ! Vu l'humidité qui régnait ici, j'étais probablement dans une cave. Le territoire des rats !

Je me mis à gigoter, à me tortiller comme un ver, à racler le sol avec mes pieds. Je réussis même à sortir un son de ma gorge cadenassée, une sorte de feulement rauque. Il fallait que je fasse fuir ces bestioles de cauchemar avant qu'elles ne s'attaquent à moi !

Au bout de quelques secondes, je stoppai mon manège pour écouter à nouveau. Le silence était revenu. Apparemment les rats avaient compris à qui ils avaient affaire. Puis le bruit recommença, plus fort encore peut-être. Et ça bougeait ! Ça s'approchait ! Ça rampait lentement vers moi, avec un petit cliquetis insupportable ! Ça tirait sur le sac qui coiffait ma tête ! Je hurlai, la bouche grande ouverte. Sans qu'aucun son ne passe mes lèvres. Pétrifié. Saisi d'une terreur innommable.

Le sac glissa d'un coup. Et je la vis. Une vague lueur venant d'un soupirail l'éclairait. Elle était agenouillée à côté de moi, la tête penchée sur le côté. Ses yeux peints étaient toujours aussi tristes.

7

J e crois qu'il m'a fallu un bon moment avant de croire à ce que je voyais : une marionnette de bois qui me regardait en me parlant. Car elle me parlait ! Je ne comprenais rien à ce qu'elle me disait, mais elle émettait des sons. Des petits couinements plaintifs qui ressemblaient à ceux d'une souris.

– Tu… tu es vraiment vivante ou c'est encore un coup tordu de Boldoni ?

Elle prit ma main et la posa sur sa poitrine. Je ne saisissais pas bien ce qu'elle voulait, et le contact de cette main sur ma peau me répugna un peu. Mais je compris vite. Là où je venais de mettre la main, je perçus distinctement des battements. Faibles mais nets. Aussi insensé que cela paraisse, la marionnette avait un cœur qui battait ! Qui était ce signor Boldoni qui réussissait à faire naître la vie d'un morceau de bois ? Un sorcier ? un magicien ? un extraterrestre ? Avait-il une baguette magique comme la fée de Pinocchio ? Une machine infernale, comme le docteur Frankenstein ? C'était un type génial en tout cas ! Fou, cruel, terrifiant mais génial ! Un Gepetto qui aurait mal tourné !

Ce que je ne pigeais pas du tout, c'était pourquoi une des chevilles du pantin était entravée par une chaîne qui le reliait au mur. Une chaîne assez grosse pour retenir un éléphant.

— C'est Boldoni qui t'a attaché là ?

Hochement de tête.

— Alors, tu es prisonnier comme moi. C'est pour ça que tu fuyais, l'autre nuit…

Le regard de la marionnette parut se voiler. Elle se lança dans une série de petits grognements lancinants, en agitant beaucoup les mains.

– Comprends pas. Parle moins vite.

Elle n'eut pas le temps de s'expliquer davantage. La porte de la cave s'ouvrit et un rai de lumière se posa sur le sol. Puis une tête apparut, une épaule, un buste. C'était une vieille femme. Ses yeux fouillèrent la pénombre, se posèrent sur moi. Elle se glissa complètement à l'intérieur et referma le battant. Pendant un instant, tout redevint sombre. J'entendis un « clic », et le rayon lumineux d'une torche balaya le sol.

– Où es-tu, Victor ?

Je reconnus la voix frêle, un peu chevrotante.

– Je m'appelle Quentin, madame, pas Victor.

La torche m'éclaira une seconde, sans s'arrêter.

– Victor ?

Sur ma gauche, il y eut le cliquetis de la chaîne, quelques couinements aigus. Victor, c'était le nom de la marionnette. La vieille dame s'accroupit, tendit les bras, et la créature de bois vint s'y blottir.

— Faut être sage, mon trésor. Guido n'aime pas les fortes têtes, tu le sais bien.

Elle entonna doucement une chanson et se mit à bercer le pantin, qui se laissa faire. La scène était inattendue, incroyable. Malgré ma situation, j'eus un petit pincement au cœur. Une vieille dame berçant une marionnette, c'était terriblement émouvant.

Elle reposa enfin Victor par terre et braqua sa lampe sur moi.

— Alors tu t'appelles Quentin. C'est joli, ça, Quentin…

À cause de la lumière qui m'éblouissait, je ne pouvais pas voir son visage. Mais le ton de sa voix était doux, rassurant. Elle avait comme des sanglots à la fin de ses phrases.

— Guido a l'habitude maintenant. Tu ne souffriras pas, sois tranquille.

Qu'est-ce qu'elle racontait, cette vieille toupie ? Évidemment que je ne souffrirais pas ! Il n'était pas question que ce cinglé de Boldoni touche à un seul de mes cheveux ! Mon père le tuerait s'il osait essayer, même rien qu'un peu ! Endormi, kidnappé, ligoté dans une cave, passe encore ! Mais torturé, je voudrais bien voir ça ! Je hurlai :

– Je veux qu'on me libère ! Tout de suite ! Vous m'entendez ?

Non, la femme n'avait pas l'air de m'entendre. Comme tout à l'heure avec Victor, elle entama une chanson, de sa voix fêlée, tremblotante. Ça devenait grotesque maintenant.

– Ça suffit, vos singeries ! Délivrez-moi, je vous dis !

Je m'agitai frénétiquement comme si j'allais exploser. Elle se tut. Mais ce n'était pas à cause de moi. Derrière elle, la porte venait de s'ouvrir à nouveau.

– M'man ! T'es encore là à chanter tes vieilles sornettes ! Ça ne sert à rien ! Perds pas ton temps à consoler un méchant bout de bois ! Quant à l'autre…

Guido Boldoni éclata d'un rire effrayant, un rire glacé, interminable. La vieille dame trottina jusqu'à la porte sans un mot, disparut.

– Quant à l'autre, poursuivit l'homme, je lui laisse encore quelques heures. Profites-en bien ! Ton avenir ne t'appartient plus, mon garçon !

La porte claqua et le silence se fit. J'étais tétanisé, liquéfié. Avec dans les oreilles des mots terribles qui ressemblaient à une condamnation. Une condamnation à quoi, je ne le savais pas encore. Mais ça sentait l'horreur à plein tube !

8

« Quelques heures », avait dit Boldoni. Ces heures-là me parurent durer un siècle ou deux. Deux siècles à macérer dans cette cave puante, sans autre bruit que les battements de mon cœur et, parfois, les couinements de Victor. Il restait dans son coin, abattu, résigné lui aussi.

Mes poignets et mes chevilles me faisaient mal à cause des liens très serrés. J'avais beaucoup pleuré en pensant à tous ceux qui devaient être en train de me chercher. J'avais la sensation horrible d'être en orbite autour de la terre, ou dans un puits sans fond. De temps en temps, un sanglot me secouait la gorge.

La nuit devait être tombée car le soupirail ne laissait plus filtrer la moindre lumière. Des pas claquèrent au lointain puis se rapprochèrent. On descendait l'escalier. Boldoni ou la vieille femme, peu importait ! Mais que cesse cette attente interminable ! Qu'on me parle ! Qu'on m'emmène loin d'ici !

•

Boldoni entra. Je sus que c'était lui à sa façon d'ouvrir la porte, brutalement, comme pour me faire comprendre qu'il était le seigneur des lieux. Sa silhouette massive se découpa dans l'encadrement du seuil et durant un moment il donna l'impression d'un ogre venu chercher sa pitance.

— Tu es prêt, Quentin ?

Il avança lentement vers moi, délia mes liens. D'un geste brusque, il me souleva et me posa sur les pieds. Je vacillai, les jambes aussi molles que de la barbe à papa.

— Tu peux marcher, ou je te porte ?

– Ça va. Je marche tout seul.

Et puis quoi encore ? je n'étais pas une poupée de chiffon, tout de même !

J'avançai vers la porte d'un pas hésitant. Boldoni restait en arrière. Il s'était accroupi près de Victor et devait vérifier l'état de sa chaîne, ou je ne sais quoi. C'était le moment de tenter quelque chose. Je claquai la porte et grimpai l'escalier de pierre. Ou plutôt tentai de grimper. Car je m'arrêtai vite, terrorisé. Assis sur la dernière marche du haut, onze marionnettes me regardaient. Je sentis leurs yeux me transpercer. Je m'appuyai au mur, la tête prise d'un vertige. Derrière moi, la porte de la cave s'ouvrit et Boldoni sortit tranquillement.

– Où voulais-tu aller, crapaud ?

Cette fois il m'emprisonna le bras. Les marionnettes s'écartèrent pour nous laisser passer, puis nous suivirent, comme un terrible et monstrueux cortège. Nous traversâmes un long couloir plongé dans l'obscurité. Au bout, il y avait un rectangle lumineux. Une porte-fenêtre.

– Mon laboratoire, dit Boldoni.

Il s'arrêta et hurla un « M'man ! Viens là ! » qui fit s'ouvrir une porte latérale. Un pan de lumière éclaira le couloir.

– Oui, Guido ?

La vieille dame apparut sur le seuil. Elle s'appuyait sur une canne.

– Enferme les petits, M'man. Je ne veux pas les voir dans le laboratoire. Surtout ce soir.

L'autre ne bougea pas.

– Laisse-le partir, Guido, s'il te plaît…

– Ce sera le dernier, M'man, je te jure.

La femme me regarda de ses yeux larmoyants, soupira profondément.

– Tu dis ça à chaque fois, Guido.

Elle agita sa canne en direction des marionnettes, qui reculèrent en désordre. Puis elle les poussa devant elle, à la manière d'un berger qui conduit son troupeau. Elles disparurent toutes au bout du couloir.

– Avance, crapaud ! siffla Boldoni en serrant plus fort encore mon bras.

Je pénétrai dans une pièce immense, encombrée d'une multitude d'appareils étranges, de toutes tailles, reliés les uns aux autres par des entrelacs de tuyaux, câbles, tubes de verre. Il y avait aussi une longue table, une chaise rouge curieusement bardée de sangles en cuir et un grand aquarium dont l'eau bleutée miroitait doucement.

J'avais déjà vu ce genre de choses dans des films d'épouvante. Les Frankenstein, savants fous et compagnie ont toujours un laboratoire comme celui-là. Au fur et à mesure que j'avançais, je me ratatinais de plus en plus. Avec l'envie folle de m'évanouir en fumée, comme pendant la représentation au casino. Mais j'étais planté là, en pleine nuit, dans cette maison glacée, au milieu de ce laboratoire infernal, avec ce fou furieux ! C'était le pire cauchemar qui pouvait m'arriver. Et ce n'était pas un cauchemar !

Nous étions à présent à côté de l'aquarium.

— Tu vas prendre un bain, Quentin.

— Je ne vais rien prendre du tout ! hurlai-je. Vous allez me relâcher, sinon mon père va…

Boldoni me tordit sauvagement le bras et je crus que j'allais m'évanouir. Il se pencha et me chuchota à l'oreille :

— N'aie pas peur, Quentin. Regarde.

Il plongea sa main dans le liquide, porta un doigt à ses lèvres.

— Tu vois, c'est simplement de l'eau tiède.

Le plancher craqua derrière nous. La vieille dame était entrée sans bruit dans le laboratoire.

— Va, Guido, je m'occupe de lui.

— Pas d'entourloupe, hein, M'man ? grinça l'autre.

— Promis. Va, je t'appellerai quand il sera prêt.

Prêt à quoi, nom d'un chien ? Prêt à quoi ?

9

Combien de temps ai-je trempé dans cette eau tiède ? Aucune idée. Je me sentais devenir moi-même liquide, mou… Sans plus de volonté qu'un têtard. Le breuvage que m'avait fait avaler la vieille dame avant que j'entre dans l'aquarium devait y être pour quelque chose. Une drogue sans doute. Je n'avais pas résisté quand elle avait tendu le verre. Avec elle, j'avais moins peur. Puis j'avais ôté un à un mes vêtements, et juste gardé mon slip. C'était presque comme à la piscine.

La vieille femme était debout près de l'aquarium, le regard vague, plein de chagrin. Elle parlait à voix haute. Je l'entendais à peine dans mon propre brouillard.

— Je vais le soigner. Il guérira, mon bébé. Et je le bercerai comme avant, quand il était petit. Il n'est pas méchant, mon bébé. Il est malade, très malade…

•

Elle répétait toujours les mêmes litanies. Ç'aurait pu durer longtemps encore. Peut-être aurais-je fini par couler au fond de l'aquarium. Mais Boldoni dut s'impatienter car la porte du laboratoire s'ouvrit à la volée.

— Alors, il est prêt ?

La vieille dame sursauta, agita des mains affolées.

— Pas encore, Guido. Je te dirai.

Boldoni haussa les épaules.

— Tu cherches à me rouler, hein M'man ?

Il s'approcha de l'aquarium.

— Tu vois bien qu'il est prêt. Fais-le sortir.

Je n'étais plus Quentin Lampion, mais une créature anonyme baignant dans un liquide tiédasse. Comme les tritons de la salle de biolo, qui flottent dans des bocaux pleins de formol. Voilà : j'étais devenu un triton qu'une vieille dame aidait à sortir de son aquarium. Elle m'essuya longuement avec une serviette de bain. Maman faisait ça aussi quand j'étais petit.

– À quoi ça sert, M'man ? dit Boldoni en me prenant brutalement le bras.

Il me fit asseoir sur la chaise rouge et m'y attacha à l'aide des sangles en cuir. Le cauchemar continuait de plus belle. Sauf que je n'avais plus peur. Ou peut-être avais-je eu si peur que tout sentiment en moi était complètement étouffé. La drogue faisait le reste. J'étais déjà ailleurs, loin, très loin. J'entendais vaguement la voix de Boldoni :

– Sa peau s'est parfaitement ramollie, M'man. Il va être facile à traiter.

Les mots n'avaient plus de sens. Boldoni pouvait bien faire de moi ce qu'il voulait, je m'en fichais éperdument. Jusqu'au moment où je le vis ouvrir une boîte métallique et en sortir des seringues. Des seringues ! Boldoni allait me faire des piqûres ! M'enfoncer des aiguilles dans le bras ou je ne sais où ! Et ça, pas question ! Je ne connaissais rien de pire au monde.

Le mollusque que j'étais une seconde auparavant se transforma en tigre fou furieux, et je hurlai :

— Pas de piqûre ! Surtout pas de piqûre ! Ça me donne des boutons !

Un rire énorme me répondit.

— Tu l'entends, M'man ? Il va avoir des boutons !

J'avais beau m'agiter dans tous les sens, les sangles de cuir ne bougeaient pas d'un millimètre. Boldoni était hilare. Puis son rire cessa d'un coup. Ses yeux devinrent deux traits noirs sous ses paupières. Il approcha son visage du mien et dit, en détachant ses mots :

— Quand tu seras en bois, tu n'auras plus de boutons, Quentin. Je te le promets.

D'abord, je crus avoir mal entendu. Puis la phrase se mit à résonner dans ma tête, les mots à tournoyer, à prendre enfin un sens.

« Quand tu seras en bois… » Je comprenais tout à présent. Tout ! Le signor Boldoni m'avait choisi pour être sa prochaine marionnette !

10

J'aurais préféré ne pas avoir retrouvé mes esprits. Et rester dans les nuages, le corps et le cerveau dilués par l'eau bleue de l'aquarium. Au moins ne me serais-je rendu compte de rien. Mais j'étais lucide, atrocement lucide. Je contemplai en face mon épouvantable destin. J'allais faire partie de la troupe du « Castelet vivant » ! J'allais devenir la treizième marionnette du signor Boldoni !

La douzième, c'était probablement Victor, qui résistait encore à la domination de l'homme. « Une forte tête », avait dit la vieille dame. Ou peut-être le traitement n'avait-il pas bien fonctionné. Victor était encore mi-enfant, mi-pantin ! Ce devait être terrifiant à vivre !

Boldoni s'activait à présent. Son visage était pâle, tendu, ses gestes précis. Je le vis plonger une seringue dans un bocal rempli d'un liquide jaunâtre. Lorsqu'il la retira, il y avait sur ses lèvres un sourire d'une cruauté inouïe. Mon cœur s'arrêta de battre et j'eus l'impression que mon sang se solidifiait dans les veines. Je n'arrivais plus à respirer.

– Tu ne sentiras rien, Quentin. Tu m'aides, M'man ?

Il n'y eut pas de réponse. Boldoni tourna la tête d'un air inquiet et eut un haut-le-corps. Sa mère n'était plus là. Il fouilla le laboratoire des yeux.

– M'man ? Tu es où, M'man ?

Silence. Il posa la seringue et se précipita dans le couloir, l'air paniqué. Apparemment, Guido Boldoni avait besoin de la présence de sa mère pour aller jusqu'au bout de son monstrueux travail.

– M'man ! Reviens ! Je te promets que ce sera le dernier ! M'man !

J'avais un sursis. L'oxygène me parvint à nouveau, l'air enfla ma poitrine. Mais un sursis pour quoi faire ? J'étais cloué sur cette fichue chaise rouge !

– Tu vas partir, Quentin ! Tout de suite.

La vieille dame était derrière moi. Elle détachait une à une les sangles de cuir.

– Je ne veux plus qu'il fasse du mal aux enfants.

La dernière sangle. J'étais libre ! La femme marmonnait toujours.

– Je l'emmènerai à l'hôpital. On le soignera. On…

Je ne l'écoutais plus. J'étais déjà dans le couloir. Presque nu, grelottant, le cœur tam-tam dans la poitrine, mais en chair et en os ! En chair et en os ! Il avait suffi de quelques secondes pour que le cauchemar s'arrête. C'était presque trop facile.

— La porte jaune, Quentin ! hurla la vieille dame. Elle donne sur la route ! File par là !

La porte jaune… Je la repérai sans difficulté, sur ma droite, fonçai comme un perdu. Le parquet tambourinait sous mes pieds, je volais presque, j'étais à cinq mètres, trois mètres…

— Où vas-tu, crapaud ?

Boldoni venait de surgir devant moi, comme un diable fou, me bloquant le passage. Quand je disais que c'était trop facile…

— C'est M'man qui t'a libéré, hein ? Elle veut toujours m'empêcher de… Mais tu ne m'échapperas pas !

Il avançait lentement vers moi, ses deux grosses mains en avant, la figure fendue par un sourire atroce. Ses yeux étaient deux terribles plaies noires ouvertes. Moi, je reculais pas à pas, épouvanté. Puis je fis volte-face et me mis à galoper droit devant moi dans ce couloir sombre, interminable, glacé comme une nuit d'hiver.

– Cours, crapaud, cours ! Je t'aurai quand même ! tonnait la voix énorme.

Il avait raison. Le couloir se terminait en impasse par un vestibule flanqué d'un escalier. Je n'avais pas le choix. J'avalai quatre à quatre les larges marches de pierre. En haut, je trouvai une porte fermée par un gros verrou. J'entendais le pas lourd et tranquille du signor Boldoni résonner dans le couloir. L'homme ne se pressait pas, sûr de lui.

Je fis glisser le verrou, poussai la porte, pour la refermer aussitôt. Vite, trouver un meuble, une chaise, n'importe quoi. Quelque chose qui puisse bloquer le battant.

Une lune blafarde éclairait le mur sur ma droite. Je repérai la silhouette trapue d'un coffre et me précipitai pour le tirer devant la porte. Avec ça, j'allais gagner un peu de temps. Voilà, c'était fait.

J'en profitai pour souffler. Calmer les battements affolés de mon cœur. Accroupi au pied du bahut, je laissais errer mon regard devant moi. Et là, je crus que la foudre me tombait dessus.

Tout autour de moi, en arc de cercle, des yeux peints me regardaient fixement.

11

J'étais entré dans la cage aux fauves ! Et adossé contre une porte sur laquelle un fou furieux cognait maintenant en hurlant ! Cette fois j'étais cuit, archicuit. Mes jambes refusèrent tout à coup de me porter, et je m'effondrai sur le sol. Prêt à abandonner la partie. Cisaillé, liquéfié.

Les marionnettes ne bougeaient pas. Leurs yeux m'observaient avec une espèce d'avidité. D'envie peut-être…

– Je le veux vivant, les petits ! cria Boldoni. Vi-vant !

C'est peut-être ça qui m'a fouetté. Boldoni me voulait vivant pour son épouvantable expérience. Et je n'avais pas envie de lui donner ce plaisir !

Je me levai en titubant, le dos toujours collé à la porte, qui tremblait sous les coups de Boldoni. Il fallait affronter les marionnettes, coûte que coûte. Et tant pis si je n'en sortais pas entier ! Tout plutôt que de devenir un Quentin de bois !

J'avançai lentement vers les créatures, avec un mélange d'horreur et de pitié. « Les petits », avait dit Boldoni. Je songeais aux enfants qu'ils avaient été avant de subir le traitement de Boldoni. Des enfants de chair et d'os, qui parlaient, qui mangeaient, qui jouaient, qui… Et sans doute eurent-elles les mêmes pensées, car elles n'esquissèrent pas un geste, tandis que je traversais le groupe, les poings serrés, pour rejoindre la fenêtre qui trouait le mur d'en face.

– Ouvrez-moi, les petits ! hurlait Boldoni.

Ses cris auraient pu précipiter les choses, faire réagir les marionnettes. Mais non. Elles s'écartaient une à une pour me laisser passer.

C'était un moment incroyable, magique. Regardaient-elles passer l'enfant qu'elles avaient été autrefois ? Il y avait dans leurs yeux une lueur étrange. La même que celle que j'avais lue dans ceux de Victor. Un mélange de tristesse et de résignation.

•

J'allai ainsi jusqu'à la fenêtre. Elle donnait sur la forêt, dont j'apercevais les premiers pins. Pas de lumière bien sûr. La nuit profonde. Sauter d'ici ? Pourquoi pas ? Je me retournai vers les marionnettes. Elles s'approchaient lentement, paisiblement, de moi. Dans la lueur pâle qui éclairait la pièce, c'était irréel.

Au martèlement furieux de Boldoni sur la porte avait succédé un grand silence.

Un silence qui ne dura pas longtemps. La porte vola tout à coup en éclats et la lumière envahit la pièce. Boldoni surgit à travers les planches fracassées, une masse à la main, repoussa le coffre, hurla :

– Tu m'appartiens, Quentin !

Quelques coups de masse achevèrent de démolir le battant de la porte. Boldoni faisait le ménage…

Jusque-là si passives, les marionnettes, comme électrisées par la présence de leur maître, commencèrent à s'agiter, à gesticuler. Elles continuaient à avancer vers moi, mais cette fois de façon menaçante. Le changement était hallucinant.

Boldoni les excitait de la voix.

– Coincez-le, les petits. Il est à moi !

Il avançait lui aussi, sa masse à la main, les yeux fous. J'étais le dos à la fenêtre, trempé de sueur, la langue aussi sèche qu'une pierre. Je me ramassai pour bondir à travers les vitres ! Tant pis si je me brisai en mille morceaux à l'arrivée !

– Guido ! Ne fais pas ça ! Je t'interdis !

La vieille dame apparut dans l'encadrement de la porte, Victor agrippé à son bras. Elle tenait un flambeau qui crépitait en brûlant.

– Ne saute pas, Quentin ! dit-elle. Tout va s'arranger maintenant !

Boldoni et les pantins s'étaient immobilisés. L'homme fit un pas vers sa mère.

– Te mêle pas de ça, M'man !

– J'ai appelé l'hôpital, Guido. L'ambulance sera là dans quelques minutes.

Boldoni laissa tomber sa masse. Ses épaules s'affaissèrent brusquement. Il se mit à trembler.

– Pourquoi t'as fait ça, M'man ? Pourquoi t'as fait ça ?

– Tu guériras, Guido ! Et tu redeviendras comme avant ! Un gentil môme ! Comme avant !

Elle hurlait ! De sa vieille voix tremblante ! Elle avançait vers son fils, la torche tendue. L'autre reculait, reculait. Je ne voyais pas son visage mais j'avais l'impression qu'il sanglotait.

– On va s'en aller d'ici, continuait-elle. Il n'y aura plus de maison ! Plus de laboratoire ! Plus rien, Guido ! On recommencera tout !

Elle jeta sa torche sur les doubles rideaux, qui s'enflammèrent tout de suite. Ces gens-là étaient vraiment givrés, bon sang !

– Viens, Guido, viens ! On s'en va !

C'est alors qu'il se passa quelque chose d'insensé. Les marionnettes entourèrent soudain Boldoni, agrippèrent ses jambes, ses bras, et se mirent à le bousculer en poussant de petits cris rauques. Boldoni vacilla un instant, ses bras s'agitèrent convulsivement, puis il tomba d'un coup, comme une statue qu'on déboulonne.

– Laissez-le ! Laissez mon bébé ! glapit la vieille dame.

Elle lâcha Victor et se précipita vers le groupe de pantins, qui recouvrait presque entièrement le corps de Boldoni. Ils frappaient l'homme à coups de pieds, de poings, déchiraient ses vêtements, arrachaient ses cheveux. Horrible. Boldoni hurlait, sa mère tentait de le dégager. En vain. Les onze marionnettes s'acharnaient encore et encore sur leur maître.

Le feu gagnait. Le plafond commençait déjà à brûler. Je sortis enfin de ma torpeur et galopai jusqu'à la porte.

– Sauvez-vous, madame Boldoni !

Mais la vieille dame ne m'entendait pas. Personne ne m'entendait plus. Sur le plancher, il n'y avait plus qu'un tas de marionnettes dont les bras se levaient et retombaient tour à tour. Je ne pouvais rien pour Boldoni, ni pour sa mère. Je pris Victor dans mes bras et descendis l'escalier ventre à terre.

Dehors, la pluie s'était remise à tomber. Une pluie glacée, qui ruissela sur mes épaules, mon torse, mes jambes. J'eus soudain très froid.

L'incendie faisait danser des ombres géantes sur le rideau des pins, à l'orée de la forêt. Au loin, je vis la lumière bleue d'un gyrophare.

12

Le brouillard qui m'enveloppait se déchira tout à coup. J'aperçus des visages, d'abord flous puis plus nets. Des visages joyeux qui riaient. J'entendis un tonnerre d'applaudissements. Les gens étaient debout, et les enfants martelaient le sol de leurs pieds.

– Tu disparais, tu réapparais ! Bravo, Quentin, bravo ! tonna le signor Boldoni.

•

Je mis un petit moment avant de comprendre ce qui m'arrivait. Où étais-je déjà ? Bien sûr ! Au casino, et le signor Boldoni venait de faire un tour de magie avec moi. À présent, il me tenait par l'épaule, l'air absolument ravi. Il se pencha sur moi, me souffla :

– Ce tour-là, ça ne rate jamais ! Jamais !

J'étais seul avec lui devant le castelet, dont le rideau était fermé. Toutes les marionnettes avaient disparu. Toutes, sauf une, dont l'homme tenait les ficelles de sa main libre. Il la fit saluer le public.

– Victor vous remercie de nous avoir fait l'amitié d'être là ce soir, dit l'homme. Il y aura une dernière séance demain soir, messieurs dames. Venez tous nombreux, mes amis !

·

La séance était terminée. Le public refluait lentement vers la sortie. Je m'apprêtais à faire de même. Ma tête était pleine d'images bizarres, d'étranges vertiges. J'avais froid.

– Naturellement, pour toi, ce sera gratuit, mon garçon. Tiens.

Boldoni souriait. Ses yeux étaient subitement devenus deux fentes sombres. Il me tendait un billet rouge sur lequel était gravé un nombre. Une boule monta lentement dans ma gorge.

Je n'avais pas besoin de le regarder pour savoir que c'était le 13.

Dans la même collection

MILAN POCHE JUNIOR

DANS LA MÊME COLLECTION

MILAN POCHE CADET

Tu as aimé ce livre. Dans la même collection, tu peux retrouver en librairie d'autres histoires pour frissonner… de plaisir.

Le Jobard
Par Michel Piquemal
Milan Poche Junior N° 1

Dans le Midi, un jobard c'est un timbré, un barjo, un fada, un fou, quoi !
Le Jobard est un vieil original. Il vit dans une cabane sur un terrain vague proche de la cité HLM. Tout le monde le dit fou, et on l'évite comme la peste. Sauf les enfants de la cité qui prennent un malin plaisir à le tourmenter… Jusqu'au jour où ils découvrent la vraie personnalité du Jobard, un vieil homme qui poursuit son rêve de toujours : faire du terrain vague un espace féerique…

La nuit de la sorcière
Par Hélène Montardre
Milan Poche Junior N° 6

Un village déserté, une forêt maléfique, un monstrueux chaudron de sorcière planté dans un champ au milieu de nulle part… Drôle d'endroit pour de drôles de vacances. Et Basile qui avait peur de s'ennuyer ! C'était compter sans Marie-Lou, avec tous ses mystères et ses grands yeux verts si troublants. Mais au fait, qui est-elle ? Une descendante de ces magiciennes du diable ?

L'Heure de la momie
par Claudine Roland
Milan Poche Junior N° 7

•

Olivia a une bonne raison de se passionner pour l'Égypte ancienne. Elle vit dans un musée dirigé par son père, en compagnie d'une momie et de sculptures de dieux étranges. Drôles de fréquentations ! D'autant plus que depuis quelques jours, le musée est le théâtre d'événements inquiétants. Avec son séduisant cousin Arthur, Olivia mène une enquête qui l'entraînera très loin dans le passé. Beaucoup trop loin…

Les Oiseaux du mont Perdu
Par Michel Cosem
Milan Poche Junior N° 10

Un village abandonné en haute montagne. Un villa-ge posé entre le canyon et le ciel comme un dernier refuge entre les autres falaises. Ce village Blanca et José espèrent le faire renaître. Mais le vent, la neige, les orages, les animaux sauvages et les hommes ont l'air bien décidés à ne pas leur faciliter la tâche…

Le satellite venu d'ailleurs
par Christian Grenier
Milan Poche Junior N° 11

•

Quel est le mystérieux visiteur qui s'est introduit dans l'ancienne base spatiale de La Fertalière et s'amuse à lancer de vieilles fusées dans les étoiles ? Luc et Marc découvrent très vite ce qui se trame : un message extraterrestre capté il y a des années ; l'arrivée d'un visiteur de là-haut, qu'il s'agit d'aller récupérer dans sa capsule en orbite… Et le temps est compté ! Car si le rendez-vous est manqué, le satellite sera à jamais perdu…

Les Neiges rebelles de l'Artigou
Par Michel Cosem
Milan Poche Junior N° 12

L'hiver est arrivé brutalement dans la montagne pyrénéenne. Dul, le village de Nicolas, est coupé du monde par la neige. Les hommes du village ne peuvent compter que sur eux-mêmes pour sauver les troupeaux pris au piège, là-haut, à l'Artigou. Ils décident d'une expédition en pleine tourmente. Nicolas est trop jeune pour les accompagner. Et pourtant, il voudrait tant pouvoir porter secours à son poulain, perdu au cœur de la tempête.

Achevé d'imprimer
par France-Quercy, à Cahors
n° d'impression : 91492
Dépôt légal : 3e trimestre 1999
Loi 49-956 du 16 juillet 1949
sur les publications destinées à la jeunesse